习近平在二十国集团领导人第十五次峰会上的讲话

人民出版社

目　　录

勠力战疫　共创未来

——在二十国集团领导人第十五次峰会
第一阶段会议上的讲话

（2020年11月21日，北京）

中华人民共和国主席　习近平

尊敬的萨勒曼国王，

各位同事：

首先，我谨对沙特阿拉伯作为主席国，特别是国王陛下本人，为举办这次峰会付出的巨大努力表示衷心感谢！

即将过去的一年，人类经历了百年来最严重的传染病大流行，超过百万人失去生命，世界经济陷入衰退，社会民生遭遇重创，影响超出2008年发生的国际金融危机。

疫情发生后，二十国集团迅速行动起来，领导人特别峰会提出，加强防控合作，推动药物和疫苗研发，维护经济金融稳定，确保产业链、供应链畅通，缓解发展中国家债务负担。这些举措给世界带来信心，为全球抗疫合作引领了方向。在这场应对新冠肺炎疫情的全球战役中，二十国集团再次发挥了不可替代的重要作用。

当前，全球疫情仍在蔓延，一些国家面临第二波疫情威胁，各国抗疫情、稳经济、保民生之路任重道远。与此同时，国际格局加速演变，单边主义、保护主义上升，全球产业链、供应链受到冲击。我们要在做好常态化疫情防控的同时，努力稳定和恢复经济。我建议，二十国集团在以下几个方面进一步发力。

第一，构筑全球抗疫防火墙。我们首先要做好各自疫情防控，加强交流合作，并向其他国家施以援手。不少二十国集团成员在疫苗研发和生产方面取得积极进展，要加快行动，并支持世界卫生组织协调整合资源，公平有效分配疫苗。中国积极支持并参与新冠肺炎疫苗国际合作,已经加入“新冠肺炎疫苗实施计划”,愿同各国在开展疫苗研发、生产、分配等各环节加强合作。我们将履行承诺,向其他发展中国家提供帮助和支持,努力让疫苗成为各国人民用得上、用得起的公共产品。

第二,畅通世界经济运行脉络。要在做好疫情防控前提下,恢复全球产业链、供应链安全顺畅运转,降低关税、减少壁垒,探讨重要医疗物资贸易自由化。要加强政策、标准对接,搭建“快捷通道”,便利人员有序往来。中方提出建立基于核酸检测结果、以国际通行二维码为形式的健康码国际互认机制,希望更多国家参与。同时,我们支持二十国集团继续就便利人员往来和货物流通开展机制化合作,搭建全球合作网络。

第三,发挥数字经济的推动作用。疫情激发了5G、人工智能、智慧城市等新技术、新业态、新平台蓬勃兴起,网上购物、在线教育、远程医疗等“非接触经济”全面提速,为经济发展提供了新路径。我们要主动应变、化危为机,深化结构性改革，以科技创新和数字化变革催生新的发展动能。我们要为数字经济营造有利发展环境，加强数据安全合作，加强数字基础设施建设，为各国科技企业创造公平竞争环境。同时，要解决数字经济给就业、税收以及社会弱势群体带来的挑战，弥合数字鸿沟。

第四，实现更加包容的发展。我们要继续帮助发展中国家克服疫情带来的困难。中方克服困难，全面落实二十国集团缓债倡议，总额超过 13 亿美元。中方支持延长缓债倡议期限的决定，将继续同各方一道全力落实，并将对确有困难的国家加大缓债减债力度，鼓励金融机构按市场化原则自主提供新增融资。我们要帮助妇女摆脱疫情影响，关注妇女特殊需要，落实《北京宣言》和《行动纲领》。中方已倡议在 2025 年再次召开全球妇女峰会，为推动后疫情时代妇女事业发展贡献力量。此外，我们还要高度重视粮食安全挑战，支持联合国明年举办世界粮食峰会。中方倡议适时召开国际粮食减损大会，欢迎二十国集团成员和相关国际组织积极参与。

各位同事！

新冠肺炎疫情是一次重大挑战，凸显了全球治理存在的短板。国际社会都很关心后疫情时代的国际秩序和全球治理，也很关注二十国集团将发挥什么样的作用。我认为，我们应该遵循共商共建共享原则，坚持多边主义，坚持开放包容，坚持互利合作，坚持与时俱进。二十国集团应该在这方面发挥更大引领作用。

第一，加强以联合国为核心的国际体系。联合国是合作处理国际事务的核心机制。各方应该坚定维护联合国权威和地位，恪守联合国宪章宗旨和原则，维护以国际法为基础的国际秩序。我们支持联合国更有效地凝聚全球共识，动员全球资源，协调全球行动，为世界和平与发展发挥更大作用。

第二，完善经济全球化的治理架构。要坚定维护以规则为基础、透明、非歧视、开放、包容的多边贸易体制，支持世界贸易组织改革，增强其有效性和权威性，促进自由贸易，反对单边主义和保护主义，维护公平竞争，保障发展中国家发展权益和空间。要继续改革国际金融体系，按期完成国际货币基金组织第十六轮份额检查，扩大特别提款权作用，筑牢全球金融安全网，提高发展中国家代表性和发言权。要直面经济全球化遇到的挑战，使经济全球化朝着更加开放、包容、普惠、平衡、共赢的方向发展。

第三，推动数字经济健康发展。面对各国对数据安全、数字鸿沟、个人隐私、道德伦理等方面的关切，我们要秉持以人为中心、基于事实的政策导向，鼓励创新，建立互信，支持联合国就此发挥领导作用，携手打造开放、公平、公正、非歧视的数字发展环境。前不久，中方提出了《全球数据安全倡议》。我们愿以此为基础，同各方探讨并制定全球数字治理规则。中方支持围绕人工智能加强对话，倡议适时召开专题会议，推动落实二十国集团人工智能原则，引领全球人工智能健康发展。二十国集团还要以开放和包容方式探讨制定法定数字货币标准和原则，在共同推动国际货币体系向前发展过程中，妥善应对各类风险挑战。

第四，提高应对全球性挑战的能力。当前，最紧迫的任务是加强全球公共卫生体系，防控新冠肺炎疫情和其他传染性疾病。要加强世界卫生组织作用，推进全球疾病大流行防范应对，扎牢维护人类健康安全的篱笆，构建人类卫生健康共同体。要加大生态环境领域国际合作力度，保护好地球这个我们赖以生存的共同家园。要进一步减少非必要一次性塑料制品生产和使用。要以明年联合国第二十六次气候变化缔约方大会和第十五次《生物多样性公约》缔约方大会为契机，凝聚更多共识，形成更大合力，共同建设清洁美丽的世界，实现人与自然和谐共存。中方呼吁全面禁止非法交易野生动物，加强野生动植物保护交流和合作。

各位同事！

中国在取得抗疫斗争重大战略成果基础上，实现了经济稳步前行。不久前，中共十九届五中全会审议通过了关于制定第十四个五年规划的建议，提出全面建成小康社会奋斗目标将如期实现，明年中国将开启全面建设社会主义现代化国家新征程，我们将科学把握新发展阶段，坚定贯彻新发展理念，积极构建以国内大循环为主体、国内国际双循环相互促进的新发展格局。构建新发展格局绝不是闭关内顾，而是要从供给和需求两端同时发力，全面畅通生产、分配、流通、消费各环节，在提高经济韧性和竞争力的同时，建设更高水平的开放型经济新体制。这将为各国共享中国经济高质量发展成果带来更多机遇。

中国将始终坚持做世界和平的建设者、全球发展的贡献者、国际秩序的维护者。我们愿同所有国家在相互尊重、平等互利基础上和平共处、共同发展，以对话弥合分歧，以谈判化解争端，为世界和平与发展作出共同努力。

各位同事！

“沉舟侧畔千帆过，病树前头万木春。”后疫情时代的世界，必将如凤凰涅槃、焕发新生。让我们携手努力，共同创造更加美好幸福的生活，共同推动构建人类命运共同体！

在二十国集团领导人利雅得峰会“守护地球”主题边会上的致辞

（2020年11月22日，北京）

中华人民共和国主席　习近平

各位同事，

朋友们：

地球是我们的共同家园。我们要秉持人类命运共同体理念，携手应对气候环境领域挑战，守护好这颗蓝色星球。在此，我愿分享几点看法。

第一，加大应对气候变化力度。二十国集团要继续发挥引领作用，在《联合国气候变化框架公约》指导下，推动应对气候变化《巴黎协定》全面有效实施。不久前，我宣布中国将提高国家自主贡献力度，力争二氧化碳排放2030年前达到峰值，2060 年前实现碳中和。中国言出必行，将坚定不移加以落实。

第二，深入推进清洁能源转型。中方赞赏沙特提出碳循环经济理念，支持后疫情时代能源低碳转型，实现人人享有可持续能源目标。中国建成了全球最大的清洁能源系统，新能源汽车产销量连续 5 年居世界首位。根据“十四五”规划和 2035 年远景目标建议，中国将推动能源清洁低碳安全高效利用，加快新能源、绿色环保等产业发展，促进经济社会发展全面绿色转型。

第三，构筑尊重自然的生态系统。中方支持二十国集团在减少土地退化、保护珊瑚礁、应对海洋塑料垃圾等领域深化合作，打造更牢固的全球生态安全屏障。《生物多样性公约》第十五次缔约方大会将于明年 5 月在中国昆明举行，中方诚挚欢迎各方出席，期待大会为未来一个时期全球生物多样性保护设定目标，采取行动。让我们携起手来，共同建设清洁美丽的世界！

谢谢大家。

图书在版编目(CIP)数据

习近平在二十国集团领导人第十五次峰会上的讲话/
习近平 著. —北京:人民出版社,2020.12
ISBN 978-7-01-022781-8

Ⅰ.①习… Ⅱ.①习… Ⅲ.①习近平-讲话-学习参考资料
Ⅳ.①D2-0

中国版本图书馆 CIP 数据核字(2020)第 240908 号

(RMC-ZJDXI-104-20201121)

习近平在二十国集团领导人第十五次峰会上的讲话

XIJINPING ZAI ERSHIGUO JITUAN LINGDAOREN
DI SHIWUCI FENGHUI SHANG DE JIANGHUA

(2020 年 11 月 21 日)

习 近 平

人民出版社 出版发行
(100706 北京市东城区隆福寺街 99 号)

北京新华印刷有限公司印刷 新华书店经销

2020 年 12 月第 1 版 2020 年 12 月北京第 1 次印刷
开本:880 毫米×1230 毫米 1/32 印张:0.5
字数:7 千字

ISBN 978-7-01-022781-8 定价:2.00 元

邮购地址 100706 北京市东城区隆福寺街 99 号
人民东方图书销售中心 电话 (010)65250042 65289539